KB016420

미완이면 또 어떻고。

미완이면 또 어떻고。

2020년 10월 29일 초판 1쇄 발행
2020년 10월 29일 초판 1쇄 인쇄

지은이 | 키뮤리

인쇄 | 아레스트 (s-lin@hanmail.net)

펴낸이 | 이장우
펴낸곳 | 꿈공장 플러스
출판등록 | 제 406-2017-000160호
주소 | 서울시 성북구 보국문로 꿈공장빌딩 3층
전화 | 010-4679-2734
팩스 | 031-624-4527
이메일 | ceo@dreambooks.kr
홈페이지 | www.dreambooks.kr
인스타그램 | @dreambooks.ceo

잘못 만든 책은 구입하신 서점에서 바꾸어 드립니다.

꿈공장+ 출판사는 모든 작가님들의 꿈을 응원합니다.
꿈공장+ 출판사는 꿈을 포기하지 않는 당신 곁에 늘 함께하겠습니다.

ISBN | 979-11-89129-71-2

정 가 | 12,000원

미완이면 또 어떻고。

목차

고통

표출

치유

당선작

시끄러운 고요

_ 시인의 말

1

고통 ◦

꺼진 모니터

전원 버튼 하나를 누르지 못 한다

한 손가락을 움직이는 상상에 빠져 보다
불안한 박동에 잠겨 약봉지를 더듬는다

키보드는 수면 중인가 몰사沒死인가
일말의 파동 없이 요에 몸을 쓰러트린다

상판을 들이대자 가맣게 뜬 얼룩이 빈정댄다
무표정으로 굽어 시선 둘 데도 마땅찮다

가로등1

날파리야,
원 안에 머금은 빛이 될 수 없대도

방금 네 옆 친구가 죽어나가도
살아있다는 안도조차 느끼지 못 해

빛은 네 친구들을 삼키고
가로등은 거뭇해져가
묽기가 짙어지면
너 또한 일조한 셈

빛과 어둠
생과 무덤

습관이 될 수 없는 소리

한 개가 절단되어 두 개가 된다

형태가 달라지는 소리는
언제 들어도 습관이 되지 못 한다

이별의 불안정화

동남아에서 이글루를 지었다
겉은 녹아내린다고들 하는데
가닥가닥 고드름 서린 머리칼은 어쩌나

사람들 성화에 이글루를 부수었다
겉에 내놓은 맨살이 뜨겁기는 하다만
안 뵈는 곳곳 한기는 어찌하나

수면양말을 무릎까지 치켜세우고
겨울 내복을 아래위로 겹쳐 입은 후
거리를 활보했다

병명이 없었다

몽환계

취고 있던 연필심이 녹아내린다
아무것도 써내려갈 수가 없다

견딜 수 없는 새벽,
밖으로 달려 나가 이 겨울 막바지 찬 공기를 내 안에 가둔다

온기는 쌩 하니 스치는 자동차의 찰나 엔진이 다였지만,
나는 너의 형상을 떠올림으로 충분히 따뜻했음을 알린다

무엇을 입은들 내가 '나'가 됨에 조금이나마 보태어질 수 있나
무언가를 입고 씩 웃어 보이는 것 따위가 우리를 정의할 수 있다 믿는가

넝마의 궁극은 찢겨짐인가
발가벗겨지는 수순인가
오랜 과거의 상처는 아물 낌새가 없고
시간이 지나서도 스스로를 가엾게 만든다

우리는 이제 함께이지 않으므로
다잡고 있던 이성을 패대기쳐 펜을 무참히 부러뜨리게 했다

신호등을 보며 걷다가1

문득, 벌건 옷을 입고 걸어도 되나
간단한 이분법이 되레 성가시다

깜박이는 퍼런색에 발걸음을 재촉한다
테두리 안의 숫자가 줄어가다
도중 발이 엉켜 무릎을 찧었다

차머리는 심술궂게 들이댄다
클랙슨 소리는 화음이 엉망이다
불규칙한 심박,
무릎을 펼칠 새 없이 귀를 막았다

되감는다
생生은 시간이 짧다

찧을 걸 안다면
속히 일어난다면

뻐끔

어항 속 물고기
갇힌 건가 사는 건가
갇혀 있는가 살 뿐인가

꼭 넓고 깊은 곳만이 자유인가
꼭 멀리 더 먼 곳으로만 가야 하나

피해의식에 매달린 희망

어항이기에 고립되었나

자발적 아웃사이더

빈 욕조 안에서 헤엄치는 시늉을 한다
살갗에 생긴 멍은 옷으로 가리면 그만이다

누군가 다가와 입을 떼려 한다
그 낯선 느낌에 습관적으로 엎드린다

응시하는 시선이 구부러져 있다
다리미로 펴는 상상을 한다

체기 가득한 신물은
시척지근 하다못해 쓰다

엎드린다
고개 들면 질식할 것만 같다

욱여넣은 마침표

헐거워진 머리를
간신히 지탱하고 걷는다

느닷없는 현기증에
비틀대는 몸을 간수하기 힘에 겹다

품으로 안겨든 우리의 교집합은
내칠 겨를 없이 빈곤에 젖어들게 한다

스티로폼에 스미는 무수한 언어가
흐린 무늬로 변질되는 광경에 마주 선다

농후한 마침표를 주머니에 욱여넣고
행여 문이 닫힐까 서둘러 쉼표를 찾는다

척

느긋한 척 잘도 걸꾸며 왔다

내게서 멀어진다
더는 닿지 않는다

비슷한 척 잘도 연기해 왔다

닮고픈 너
깎고 사포질한 나

어라
너도 나도 없다
찬바람에 오들 떤다

과거 점박이

시계가 멈추었다
초침과 분침을 부러뜨리면
중력으로 바닥에 떨어질까

가시 점들이 느닷없이 거치적거릴 때마다
드센 도리질로 순간을 만회해보려 했다

단단히 감싸여도 추워 떠는 이유는 무엇일까
질긴 거죽을 뚫고 心을 관통할 때엔 어찌할까

고통은 영원하려 한다
때가 되면 꺾이기 마련인데

가지치기

근본에서 돋아난 곁가지
때 될 때 쳐내지 않다가는
흠집을 입히지

수고로운 가지치기
괜찮다 모른 체 넘겨오다
꿈마저 좀먹지

한 쪽 귀의 염증
방치하다가는
진물로 베갯잇을 적시지

수고로운 병원행
괜찮다 모른 체 넘겨오다
당연시한 소리는 멀어지지

소실消失

꾸러미에 넣어 모은 조각이
하나씩 사라져 간다는 건
갓길 없는 고속 도로 위에
시선을 떨군 황량함이었다

거울1

둘은 과연 하나인가
하나에서 파생된 둘인가
부질없는 갈등에 억눌린 경계

주사바늘이 싫었어

엄마 손에 억지로 끌려간 그곳은
처음 맡아보는 어떤 약품 냄새였어
나를 세상 쭈구렁이로 만들었지
나만 아는 벙커가 존재했다면,
엄마를 버리고 몰래 도망쳐 숨을 작정이었다니까

정신 혼미한 고열
고름이 차 덜렁거리는 이빨
처음인 고통 속에서도 나는 정말 주사바늘이 싫었어
평생을 어떤 장애에 시달린대도
오롯이 나를 향한 바늘을 응시하지 않을 수 있다면,
믿지 않는 하느님도 따를 판이었다고

낯선 여자는 표정 없는 얼굴로 주사기의 투명한 물을 찔끔,
제발 여기서 멈춰 달라,
발버둥치는 내 몸을 모두가 거세게 잡았고
멍이 든 뺨과 팔은 영혼을 아프게 했어,
벙커는 없더라

바늘이 여린 살을 기어이 관통했고
버튼 같은 게 꽤 오래 깊게 눌려졌지

나는 그 과정을 정확히 지켜봤어
조소 섞인 가짜 울음을 선뱄지, 하

그래, 그냥 따끔한 정도더라
내 발버둥이 참 낯없게 우스울 정도로,
근데 나는 그 후로도 아프더라
뾰족한 주사바늘보다 바늘이 내게 오는 과정이 아프더라

그 간호사보다 더 자란 어른의 나이가 되었는데도
몇 시간 전 일인 양 뚜렷한 기억이 아프더라

웜홀

블랙홀의 수축 극단에
육신은 짜게 오그라든다

다만 당신의 심연으로
순간 빠진 것뿐인데

한정된 명命이 무시된 채
영원할 속박

영혼도 뭣도 아닌 것으로
찢겨 당신께 갇힌다

티끌도 못 되는
미천한 떠돎,
둥둥

후유증

당신과 마주 대하며
마알갛게 웃던 장면
준비 없이 흐른다

늘 만지던 당신 얼굴
수백 가지 우리 유머
기계에 넣고 옥죈 듯

가만히 있다가도
고개가 틀어진다

무의식 속 자투리의 요동인가
의식 속 불덩어리의 고동인가

애가 타게 둘러본들
이제 없는 당신인데
어찌 이리 고역인가

망각의 수水

망각의 수를 한 방울이라도 떨어뜨려주오

관계의 골은 체증을 유발하고
말본새에 도사리는 위증에 분개하며
내가 나이지 못해 눈은 회색빛을 띠오

뒤틀린 미소 안에 속 시끄런 메아리는
불면의 울림이 되어 그대를 할퀴었고
값없는 환상에 토양은 메말랐소

망각의 수를 한 모금이라도 마시게 해 주오

잔상

씹던 껌을 참 오래도 질겅질겅
뱉으려 하니
애당초 실재하지 않았단 게
당최 믿을 수가 없네

그대 나를 향한 걸음은
이리도 선명한데
몸부림치며 눈을 할퀴어도
흐릿해질 기미가 없네

이별 이야기

흔들리는 초점 안개 낀 눈앞
그는 엉거주춤 더듬거리다
손끝 감각에 의지해 의자를 찾는다
원래부터 그곳에 앉으려 했던 것 마냥
편안한 미소까지 지으려는 욕심의 결말은
파르르 떨리는 눈두덩과
감은 것과 다름없어 뵈는
온갖 사물의 가마득함 뿐이다

시린 겨울 날
키보다 높게 쌓인 눈 속에 나체로 갇혀
하염없이 바드득대는 듯한 모습
온 몸을 감싼 얼음 알갱이들의
살갗을 찌르는 공격 통에
이곳이 이미 무덤이기를 바라 본다

'정말 참을 수 없는 건,
참지 못할 일이 없다는 거야'
그는 어느 영화대사를 떠올린다
그렇다,
언젠지 모를, 끝이 있는 고통이어라

맑은 한낮, 흔해 빠진 커피숍에서
먹색으로 변한 그녀의 얼굴은
그와 그녀가 친밀한 관계라는 것이
아주 먼 과거가 된 듯 혼란스럽다

아메리카노는 오늘따라 너무 진하다
배려랍시고 입에 괴게 둘 수 없어,
뱉어버린 그다

그녀의 머그컵 테두리가 희미하다
귀가 먹먹하다, 머엉
이명耳鳴은 꼭 이럴 때 도진다, 삐이

삐이

너무 크게 그린 탓

너무 크게 그린 탓에 담지 못해 비워졌다
한때 걸던 새끼손가락은 무안하다며
약지 곁으로 가까이 가 숨는다

별 거 아닌 것에 너무 큰 의미를 새긴 탓에
켜켜이 쌓인 시간의 색은 섞여 검정이 되었다

비워진 공간 안에 채워진 검은 공기는
우리의 이별을 언제나 실감하게 했다

몽중몽夢中夢

한 꺼풀 벗겨진다
하나를 비웠으나 경輕하지 않다
본디 드러나 그림자만 주시한다
잡히지 않는 허상을 어찌 움키나

휘파람

당신을 혀끝에 오므리어 담아
내보내니 그저 바람

당신을 들이쉰 내 죄인지
자체가 비어 있었던 건지

당신의 주파수 귀띔 바라
내 안에 살아도 애달픈 바람

잡음이 난무한 쇳소리
오랜 열망의 타락
그저 바람

방향성

그대 옷깃 다듬어 줄 사람이 나이기를,
이미 손댈 수 없게 날이 서 있으나.

어느 공간에 가 있는가

그대, 어느 공간에 가 있길래
흔들림 없이 편히 앉은 자리에서도
식은땀 눅진하게 떨구며 상체를 떠는가

그대, 어느 누구를 떠올리길래
똑바로 응시하는 눈이 텅 비어 있는가
미소 띤 입가에 웬 공허가 이리 묻었나

무방비한 모습 차차 밤에 젖어간다
긴 터널의 출발선을 이미 넘은 듯
아차, 새어 들어온 빛이 묘연하다

어루만지는 손잔등 어제와는 다른 온도
같은 밤에 젖어가나 다른 밤 속에 있다

그대, 어느 공간에 가 있는가

나누는 동시에 감추는

갈은 공간 안에 갇힌 우리
너와 내가 마침내 섞이려나

두 쌍의 눈은
서로를 쫓다 내쫓다
고개를 틀다 밖을 보다

그대는 블루

그대의 낯꽃이 어둑하다
대화는 엇나가 말꼬리만 잡고 있다

부자유스런 동공과 걸목소리에
있지도 않은 앞머릴 만지는 척을 한다

지레 겁먹고 달려 나가면
덩달아 뒤따를까

애석한 우리의 기류
구름에 편승해 떠오르길 바랐다

시간이 흘러 가슴팍을 쥐어짜도
알맹이는 빠지지 않았다

불면은 따뜻한 순간을 떠올리게 했고
거울을 통해 망가진 자신을 확인했다

기억을 자르는 과정을 지속하다
자비란 없는 낙인임을 깨달았다

왔다 가네요

신발코에 얹혀진 싸라기눈
그대 몸 낮춰 털어줬죠

콧등에 떨어진 비 한 방울
우리 맞던 그때 감촉에 멈칫 하죠

어느 팝송 그대 우리라며 번역 했죠
그 구절 안 잊혀 들리면 귀를 막죠

군중 속 가로지를 때 스쳐간 누군가
그대 특유 살 내음에 박동 멈추었죠

열 바퀴 돈 계절에도 왔다 가네요
아직 압정에 박히고 송곳에 찔려요

이방인

코 앞서 끊긴 선착순 줄
서 있는 맘은 어떻겠나

언제 풀렸지 신발끈
굽힌 허리 꿇린 무릎

한껏 끌리다 메마른 자성
품안에 가두려 해도 바스러지는 자석

눈앞의 마른 가지 뜻하지 않았는데
물에 마구 적셔도 망할 볕은 쨍 하네

페르소나

웃는다
눈자위까지 입꼬리를 올린다
드러낸 치아만이 살아있다는 증명

누군가는 멋있다 칭송하고
누군가는 쥐뿔 없는 주제가 꽤나 밝다 한다
이 극명한 괴리를 회피하려 입꼬리를 올린다

나의 아이야

심장을 도려내 본 적이 있는가
마구 찢어 불퉁한 땅에 내동댕이치고
발바닥으로 짓찧어 다지는 와중
울음보 부여잡고
무너져 내려앉은 적이 있는가

핏줄을 터트려 본 적이 있는가
내게 붙어있는 모두를 사무치게 증오하여
숨소리가 잦아들면 기어이 안락을 찾을까
검질긴 끈을 끊고
맨발로 무작정 달려본 적이 있는가

파면 팔수록

날날이 까발려지는 순간
서둘러 조아리고 보는
이중성과 모순

우그러진 뼈는 보이지 않아

사방에 달린 신경
주변 쇳소리에 변해갈 수밖에

밀고 당기는 쓴 과정
썩은 물을 머금지

한껏 벌어져 있는 하관
앙 다문 채로 소리치네

군중은 외롭다

충만은 공백이 절실하단다

하얗던 영혼은 창백하게 변모했다
박수치는 손바닥에 가시가 돋쳐 있다

테두리 잃어 상념과 딸려 간다
채는 자들은 저마다 둘레가 짧다

원색적일수록 입아귀를 올린다
눈과 귀는 숨통이 끊겼다

상실의 이불이 두꺼워 가려운 땀띠
염치없이 박박 긁을 수가 없다

심心

생生과 절명絶命의 간극,
그 좁다란 틈바구니

가라앉아만 있는 심心,
신身,神이 뭣을 할 수 있나

쓰레기통의 쓰레기들은1

밟으라고 달려있는 페달은
들어가는 자들의 악 소리 같다

조금 남았다,
냉장고행 이는 통 안의 자와는 다를까
지척에서 심판 받는 심경이란,

쏟아질라치면 코를 막고 얼굴을 찡그린다
겨우 밖에 나와도 단념하라 배웠다

경이로운 탄생은 잠깐이었고
호기롭던 기세는 망각되었다

시끄러운 고요

선명하지 않은 얼굴에 오히려 안도한다
무채색 뒤로 흐릿하게 숨는다

제발 꿈에 나오지 말라 빌던 너의 형상은
사실 밝은 거울 속의 나였다

가만히 누워있으면서도
찌르고 썰리는 싸움은 계속된다,
시끄러운 고요
그 양면성에 '정의'라는 단어는
언제부턴가 떠올리지 않게 되었다

테두리 없이 날아 보이는 뇌는 날개가 없다

희망이 두렵다

덧없이 절망이 품어질까
또

2

표출。

나는 나를 택할 테다

처음부터
다시 살게 해준다면
나는 나를 택할 테다

로애怒哀 그 질끈 길을
다시 걸어야만 하더라도
나는 맨발로 질흙을 마구 밟을 테다

희락喜樂 그것을 더 크게
가슴에 각인시킬 아름다운 계기
나는 심연을 더욱 뿜어 터트릴 테다

더는 볼 수 없는 사람들과 사랑들을
더 좋은 기운으로 수그려 보내드릴 테다

허름한 마음과 너절한 풋솜씨를
거센 망치질과 서글픈 무도회를
쓸쓸한 가로등 빛과
미숙한 당신의 서늘한 낯빛

그 모든 것들을 품에 보듬어 안으려
기꺼이 나는 나를 택할 테다

엄니

긴 세월 홀로 어찌 남매를 키워 걸어오셨소
낡은 나무 지팡이 하나 없이 험한 길 무엇으로 내딛으신 게요

철부지 깽깽이 딸 보고서도 침묵으로 삭혀 무던히 뼈 깎은 당신
그래, 당신의 지독한 속사랑 몰라 뵈 단단히 오해하여 세상 제일 미워했소
셀 수도 없는 횟수로 마구 헐뜯어 대었소

원망으로 보낸 나날 우리의 원진살,
이제 당신 그대로의 모습을 받아들이려 하오

아주 오래 전 당신이 화장실에서 숨 멎은 듯
철퍼덕 쓰러져 통곡하는 것을 작은 문 틈 사이로 보았소
그 감정을 쉬이 이해치 못하여 모른 척한 이 딸을 미워해 주시오
그때 그것이 무언지 이제야 알 것 같소

이제부터는 사랑을 하려 하오

봄 내음

먹지 않아도 배부른 봄이
입으로 들어오길래
그냥 머금었더랬지,
뭉그적 어기적 참으로 애틋하게

당신에게선 봄 내음이 났지
그 향에 휘감겨 눈이 감겼더랬지

오늘 널 보면

오늘 널 보면 더 홀가분히 뜰 수 있겠다

물감

좋아하는 색들을 짜두었을 뿐인데
어느 샌가 섞여 다른 색이 되었다

그대로 놔둔 채 얼마의 시간이 흘렀을까
단지 어색함에 거부했나봐,
금이 간 내 외곬의 벽

춤

백색소음마저 없는 곳을 아니
자의식의 리듬만으로 비틀거림
손가락 끝부터 예민하게 온몸으로 퍼짐

허나 움직임 없는 외면 무중력인 여기
일렁이는 건 마음이요 정신이라

미미한 삐거덕에 꿈틀댄 과거의 나를
책망 대신 춤사위 홀로 쏟아낸 범벅의 땀
한공汗孔에서 부패한 피가 솟구칠 때까지

자생自生

유달리 향기 높던 줄기
올바른 뿌리 자람세
허둥대다 뿌리 몇 가닥이 끊어진다
전호후랑前虎後狼 치는 태풍에 부러지는 줄기

겨우 뛰는 가느다란 맥
들숨 한 번에 통증으로 얼룩진 뿌리
대롱 달려있는 줄기가 수명 다한 듯해도
섣부른 끌을 품고 스러져서는 안 되느니.

청춘이란 그림자1

음악도 없이 춤을 추는
설익은 그림자

닿는 대로 딛는 발은
부르터도 간다

절벽임을 모르고
뛰어넘겠다는 바위

엉성한 몸짓으로
달리다 거꾸러진다

흐르는 눈물

얼굴에 우비를 감싼다면
흐르는 눈물에 젖지 않으려나

콧볼 가장자리에 선을 질게 남기고
입가에 이르러 느껴지는 애달픈 짠맛

턱까지 타고 내려와서는 기어코
무릎과 발등에도 방울이 맺힌다

옆으로 떨어뜨린 가냘픈 어깨
감정 없는 땅을 적신다

부재이고 싶다

순간의 감정에 충실했던 당신의 언어에
왜 충성을 맹세 했던가

작은 터치 그 일순의 철렁을 잊지 못해
왜 나는 복종을 했던가

당신은 내 옆에 있다지만 여백인지 오래
이제는 내가 당신 옆의 부재이고 싶다

쓰잘머리 없는 소모전

실수로 버무려진 반성이 잦다
말과 행동 무엇도 건네지 않았다

상대의 궂은 되짚음인가
너를 위한다며 머리를 쉬이 비워낸다

고스란히 이동해 똬리 트는 오만한 뭉치
휘둘리고 감겨 맥을 못 춘다

기운 더 빠져 슬어 버리지 않겠다
누구라도 먼저 이별을 고하게 될 테다

다물든지 지켜줘라

모기향

숨죽인 칠흑 속에서
스스로 죽어가는 여정

재를 남기고
자신은 온전히 없어지는 것

파도는 악당이 아니야

꽝 콰

더 큰 파도에 맞서
잔잔한 물결을 보호해

하늘이 될 수 없으나
외롭지는 않아

눈을 맞추거나
등을 맞대고 있거든

몰려오는 흐름에 따라
그저 떠밀릴 뿐이야

한때 나는 악랄한 너였다

눈물을 찍은 네 거짓 편지
물질적 대상으로 전락한 영혼
서슴없는 관계 속 극심한 장난질에
유대감 부풀어 탄생한 괴물의 활개

선인장에 안겨있는 듯
부정한 목적이 다분한 보호,
안락하다 믿은 네가 밀쳤을 때
진리라 답을 내린 내 정신의 말로

시퍼런 밤중 홀로 놓일 때
가등 벗삼아 세차게 밟았지 네 덩어리
평생을 지독한 고독에 갇혀 울부짖으라

자아 소속감

그리우나 돌아가고 싶진 않아
아쉬우나 되돌리고 싶진 않아
외로우나 함께이고 싶진 않아
공허하나 채워지고 싶진 않아

손아귀

언어는 올이 풀려 있다
나뒹군 올은 재 되어 있다

네 어깰 채친다
삽시의 심성 이리 후달리나

닿을 듯 스칠 걸 그랬다
내민 손은 짠물에 흥건하다

완연한 봄이었다

하나의 꽃이
별 하나만으로 고개를 쳐들어
당신에게 선사한
내 무언無言의 수수한 시선처럼

우주의 영원할 어둠도
당신의 한 발짝으로 모세의 기적

간소한 아침상에 나는 느꼈지
당신의 대담한 결여를

잠잠히 곱씹었지
결핍으로의 여행
그 심연으로,
봄이 토해내는 따스함도 못 느낀 채

불현듯 떠오르는 과거의 단편은
불완전한 불안에 떨게 해
그것이 당신과 나를 만들고
이어준 유일한 것이란 걸 잊은 채

봄을 입은 당신의 향에 스며들어
마침내 진짜 숨을 쉴 수 있게끔 했어
실은 그땐 가을이었지만

다만
다시는 되돌릴 수 없는 봄인 거지

그때의 우리가
완연한 봄이었었어

멍하니 너를 생각해

멍하니 너를 생각했어

시력을 뒤로만 돌렸어

뒷걸음질 치면 닿을까

누더기

영롱하던 색은
가뭇하게 방울지다
헐벗은 채 낙하한다

외침은 미미하게 맺혀
입지도 않은 옷을 벗는다

플라스틱의 사랑법

플라스틱은 누워
천장의 등불을 사랑했어

모두가 잠든 시각
숨죽은 등의 위치를 바라만 봤지

등이 고장나 다른 등이 불을 밝혔어
보지 못한 빛을 뿜었지

새로운 등불을 마냥 바라보느라고
떠난 등을 잊어갔어

플라스틱은 그때 알았대
뜬금없이 나타나고 떠나고 그립고 잊고
또 뜬금없이 나타나서 잊어가는 것

거울2

맨몸으로 다른 거울을
찾아 헤맨 지 오래다
지저분한 건 거울인건가
비치는 형체인건가

눈을 거무스름
질끈 새하얗게 감고
거울 속에 깃들어
나는 상상에 갇힌다

차라리 그곳에 묻혀버리려 했다

변함없다는 건

백합의 꽃말은 순결
변함없는 사랑

밀실 안에선
그 향이 너무 진해
질식하게 된대

그대로
관에 눕게 되니
변함없다는 건가

가로등2

해가 져야 얻는 생명
꼿꼿이 줄지은 행렬
오장육부에 깁스 찬 듯

그래 불은 밝겠지
한데 매번 ‘안녕? 안녕’
문드러지며 환한 내 맘은 어떻겠냐

어제보다 밝다
원형도 더 커 보이고
인간도 아래 더 머물러

그래 불은 더 밝겠지
한데 매번 ‘안녕? 안녕’
문드러지며 환할 재 맘은 또 어떻겠냐

평면 티브이

입체도 최신도 아니기에
찾지 아니하네
자란 만큼 살았기에
어떻게 남겨졌네

오래보다는 사는 동안
딱 그만치
네가
바라보아주길 바랄 뿐이었다네

반짝 태고 느꼈네
아닌 척
바오밥나무 동경했네

미련을 멈추어
앓는 생生
또는 사死를

뒷담화의 반가返歌

반지하 습한 공기 둘러매
곰팡이 냄새 코끝 찡히 머문다

벌리는 입 속의 누렁니
음식도 네 안은 싫단다

손톱 때는 박박 긁어댄 가루인가
검은색 매니큐어를 덧바른다

째진 눈가 비린내 분칠하고
입 매무새 정돈하는 꼴이라니

뱉은 침이 고스란히 입가에 묻었다

목줄 없이 잘도 활보한다
개 밥그릇은 뒷간에 엎질러 놓았다

몽마夢魔

몸서리나는 정자세
가만히 요동친다
붕 떴다가 고꾸라진다
수십 번

잠긴 철문을 주먹이 터져라 쳐댄다
천공天空으로 잡아끌려 결박된다
눌려온다
수십 번

호흡이 고장났다
고스란히 몸을 맡겨주어도
이 친구의 냉대는 끊지 않는다

어제도 그랬다,
더욱 거세게 눌러줘라
나 또한 없어지길 바란다

풍선

너는 내게
한껏 부풀려진 풍선이었는지도
눈에 담긴 그 거대한 모습
가득 찬 환희를 느꼈대도

얼마 못가
뻥 하고 터져버리데
이루 말할 수 없는 허무가 밀려오데

풍선의 파편이
따갑고 뜨겁게

물

물은 흩어지는가 싶지만 곧장 함께가 되어요
바위에 흠집 내고 뭐든 깎아내리죠

그리고는 또 다시 흩어져요

이유를 찾는 시간에
물은 한 번 더 깎겠다 하네요

그러다 한 방울이 튀어 오르게 되었어요
하늘을 동경했죠
떠다니는 구름이 되고 싶고
가로지르는 비행기를 꿈꿔요

아,
함께가 되어야 하는데

그곳

눈을 감으면
그곳으로 가 있다

우리는
들리는 음악소리에
살짝 고갯짓 중인데
화면이 느리다

눈을 뜨면
수분을 모두 빼앗긴 채
이곳으로 와 있다

느린 화면 특유의
아련한 서정적 선율을
떠올린다

영원히 눈이 감긴다면

신호등을 보며 걷다가2

여기 발갛고 파란 두 인간이 있다

흘금 한 번 없이 제때를 어찌 알고
제 색을 내다 끄기를 반복하는 둘은
나란히 있지 않다

모든 게 끝나 새로운 시작 앞에도
단 한 번 부둥키지 못하는 둘은
가장 가까이에 산다

하나는 서 있고
다른 이는 발을 뻗는다

선 자는 발이 묶여 뒤따를 수 없다
오는 이를 안을 겨를 없이 보내기만 하다
응어리는 피가 되어 선 채로 흘렀다

걷는 자는 잡아 달라 몸소 발을 뗀다
언젠가 오리라 오지 않는 이를 믿어보나
차게 식다 굳어 새파랗게 터졌다

파도여 바다여

굽이치는 파도를 증오했다

버티다가 파도에 삼켜졌을 때
끈이 탁 끊어지며
힘이 죄 빠진 몸이 구름 위에 놓여졌다

모든 것들에 대한 기대는 떨궈지고
버려져 가는 입자들이 눈에 보였다

무언가 더해지자
이제는 두렵지가 않았다

파도여
너의 것이라 착각하는
그 시간에 맘껏 장난질 쳐 보아라

바다여
눈을 똑바로 뜬 채로 네게로 가라앉으리

내 두 눈으로
바다를 태워 메마르게 하리라

3

치유

ㅇ

켜진 모니터

누르지 못했던 전원 버튼 하나,

하체를 기다랗게 늘어트리다
감각 없던 종아리 부근이 아려온다
너희, 살아는 있었구나

발을 주무르다
굴러다니는 알약을 주워 약봉지에 넣는다
벌어진 틈새가 나를 야유한다
밤새 앓다 넘기지 못하고 곯아떨어졌나

아,
어느 날 갑자기 찾아온 약 없는 수면

요에서 홀아비 냄새가 진동했다
귀를 훑다 기름 잔뜩 낀 콧방울을 쓸자
몇 주간 감지 않은 머릿내가 말아졌다

언제 연건지 모를 노트북은 먼지가 굳어
폐기물 처분만을 기다리는 듯

물어뜯긴 새카만 손톱으로 타자를 주시하다
노파심에 눌러 본다,

누른다

수요일

시간이 약이라는 말은
나름 근거 있는 낡은 얘기

낯설지 않은 낯섦

다른 조화 눈 코 입
다른 체취의 살 향
다른 음성의 울림

온통 처음인 모든 게 버무려지니
이야기는 바쁜 입을 쫓을 수밖에
알코올 없이도 취하는 밤

낯선 것은 기어코
감춘 속내를 꼬집고
아픈 게 슬픈 게 아니게 해

약점의 초기화,
빈 도화지로의 회귀랄까

아팠던 게 슬픈 게 아니게 돼

가로등3

매일 같은 시각에
나를 올려다보는 인간

드문드문 보다 말다
응시가 길어진다
단지 망부석

미세하게 떨리는 입매가
번지는 나의 빛 결으로 흩어진다

지나가는 누군가의 웃음과
함께 허공으로 뿌려지는 것은
용납할 수 없어 대신 머금는다

너와 같은 키로 나의 몸을 줄이면
너와 같은 눈높이로 너를 밝혀줄 텐데

터벅터벅
인간의 뒷모습에 묻어난다,
그녀의 빈자리가..

몽유

흔들리는 물살에 맡긴다

한 번도 한 가지 색 아닌 노을을 보며
심장을 떼어 움켜잡고 새의 등에 탄다

침이 없는 시계 속에
실체 없는 무덤 안에
그윽한 공기가 둘린다

음표 띄운 대화에는 말이 없다

말에는 독소가 있어

아이야,
부정적인 말에는 독소가 있어
안 좋은 말을 지속적으로 들은 꽃은
제대로 된 꽃을 피워보지도 못하고
시들시들 죽어간단다
결국 죽여 버리는 거야

친구여

간절히 발 디딜 곳을 찾는다
이리저리 몹시 고개를 흔들어대는구나
허공 속에서 방랑 중이랬나

사방의 먹구름을 비웃고 하늘 높이 떠 있다
부질없는 시기 따위 땅바닥에 패대기치고
네 깃털 하나 날아가지 않게끔 옆을 지키련다

날개 뿌리 뽑히더라도 함께 뽑히도록 하자
너 홀로 죽어간다면 그것은 곧 내 죽음이니
차라리 놓을 거라면 같은 곳에 묻혀 버리자

닮아가요

트라우마에 갇힌
아이를 불러내
각자 가진 상흔을
보듬기로 해요

다른 면을
닳아 없애기보다
무심결에
닮아가도록 해요

꼭 눈에 보일 필요는 없지

너 있는 거기까지 흘러가 봤어
그냥,
계절이 여름인데도 한기가 느껴지더라고
우리 힘듦의 질은 분명 다르지만 옹송크림은 같지

그거 아니?
오한 서리는 밤중,
그저 너의 깨어있음 하나만으로 차고 넘치는 위안이라는 거

이렇게라도 함께할 수 있음에 사랑해
어떤 식으로든 함께 라는 건 참 이뻐
함께이기에 수반되는 고통 또한 이뻐

등대

어두워진 수면 위를 비추어
길 잃은 자의 방향을 터주지

날카로운 파도에 갈라진 빛이
산산이 쪼개져 흩어진대도

그냥 바라보는 것만으로

온기를 나누어
우리의 뱃길을 지켜볼 뿐이야

눈빛

가만히 바라본 그의 눈
사람으로 태어났나 진실이란 단어가

몽글한 몇 초의 순간 시큰한 심장
마디뼈가 왈칵 쏟아질 듯 심상찮은 전달

온전히 매료된 그녀의 뒤엉킨 머릿속
둘만의 공간에서 체감하는 고요

선명한 빛은 그녀의 질끈 감은 눈도 쫓아
걷잡지 못해 스며들어버린 그 찰나

가쁜 숨 애써 달래며 포갠 손
그의 손등 위로 그녀가.

모양을 잃은 지우개

다른 손을 빌린 마찰은
꾹 눌러 온 모든 게 헝클어져
너를 누추하게 만든다

뒤늦게 나를 다시 찾았으니
소망한대로 사라진 듯,
자국이 남았다

어둠 곁에선 보이지 않던 얼굴,
빛의 끝에서 상像이 흐리게나마 보였다

쓰는 것을 멈추지 말려무나

너를 문지르다보니 원래 모양을 잃었고
나를 잃을수록 너도 몽당이 되어갔지만

혼자인 채 잃어갔던 검지 않은 때는
결코 훤한 게 아녔다

청춘이란 그림자2

말랐네 하다가도
흐르는 게 눈물이며

야단스레 뛰지 않아도
흘러가는 게 세월이며

머무르길 바란 인연은
속절없이 떠나 버리고

표정 없는 그림자는
그만의 빛깔을 새겨 나간다

숙면

곁에 누구 하나 없어도
혼자임을 완연히 깨닫지 못해

곁에 누군가 있어도
혼자를 완연히 벗어나지 못해

오늘 어제 과거의 어떤 날
미화된 사람과 왜곡된 기억들

둘은 하나, 하나는 둘이 되어
몸을 뉘여서도 진정 쉼이란 없네

묵직한 침묵의 그 하루
또 간신히 넘긴 그대의 밤

오늘 만큼은 제발
온전히 평안하기를

아프지 마요

상대의 모진 언어
위에서 녹여내요

붙잡히는 소매
아득바득 베지 마요

강을 사이에 두고
뒷모습만 봐요

낙천적으로 살아가요

주저앉아 있어도 좋아요
햇살 아래 돗자리를 깔고
생각을 그냥 놔두어요

아,
내일은 무엇을 맛있게 먹을지
어떤 미소를 짓고 있을지

쓰레기통의 쓰레기들은2

통 안은 무질서한 생활이 엿보인다
추저분한 건 통 안인가 통 밖인가
넣기 전과 후의 마음이 다르지 않은가

운반차에 실려 다른 생활들과 나뒹군다
각자마다 뜯기고 찢겨
본래 뜻을 찾을 수가 없다

목적지를 모른 채 뒤흔들리는 차 안에서
서로를 쓰다듬다가
수많은 삶이 뒤섞여 태워지는 광경을 본다

비운 껍데기 안에
서로의 뜨거운 눈물을 담은 우리는
그간의 삶이 얽혀 눌어붙기를 바랐다

당신을 깨워

엉겨붙은 잔해물
긁을수록 잡된다

어디로부터 왔나
옮아 퍼져 앓는다

내 속 깊이 숨 거둔
당신 깨워 보내련다

주전자

버림에 악다구니 쓰며 찾지 않아도 돼
채움에 흘러넘쳐 잠겨 있지 않아도 돼

가발은 기름이 끼지 않는다

풀죽은 방의 기운이 휘휘하여 마음먹는다
펫 숍인 듯 주인을 찾겠다고 술렁거린다

매일 헹구고 말리고 빗겨 준다
나지 않는 흰머리에 때로 마음 쓰인다

정작 멈춰있는 나이를 뒤로하고
상대를 거꾸로 돌리려는 마음씨가 곱다

눈동자마저 빠트려 흘리던 불과 얼마 전,
몰라보게 또렷해질 시야를 예상치 못했다

표정과 몸짓이 쾌해졌다
세포 하나하나 고개를 빳빳이 세웠다

잡념으로 지끈대던 우중눅눅한 새벽은,
더는 기름이 끼어 있지 않았다

폴라로이드 마지막 필름

어딘가에 남긴다는 것은 무엇을 의미하나
직사각에 담아 가둔 것이 본체가 맞는가

작은 구멍에 눈 하나를 갖다 대자
선명하던 사람이 희끄무레하다

지나간 장면을 채뜨려 당겨 봐도
나란히 걸을 수가 없다

슬그머니 내밀던 아홉 편의 드라마는
조기 종영되었다

손가락에 침착한 무게를 실어 본다
그날따라 버튼이 눌리지 않았다

무턱대고 열어젖힌 탓인가
내민 직사각은 시허옜다

그 날 그 사람을 쥐지 못하고
지금이 되었다

노광露光된 이와 살을 맞대고
직사각에 우리를 직접 그려나갔다

영화가 되었다

아름다운 우리잖아

죽어가다 죽지 말고
살아가다 죽자

안식安息

우주와 그대 경계는 無요
자유라고 칭한 건 누구요

먼빛에도 뚜렷했소
평생을 고이 담을 터이다

얼마나 좋을까요

새파란 새벽의 가위눌림,
당신의 양 눈썹 뼈를 보드랍게 어루만져
미소를 띨 수 있게 한다면,
얼마나 좋을까요

불현듯 울음을 터트리는 당신의 볼에,
당신이 어렸을 적 맡은 베개 냄새를 빌려와
뺨을 마주대고 은은한 체취를 전할 수 있다면,
얼마나 좋을까요

떨군 시선에 깊은 숨을 몰아쉬는 무표정한 당신의 귀갓길,
지독히도 잡아끄는 묵직한 유언에 주저앉은 당신을 태워
가벼이 어디론가 날아갈 수 있다면,
얼마나 좋을까요

당신의 성가신 뇌를 꺼내 세척할 동안,
노을빛 틈바귀 사이로 손을 맞잡고
의심이라는 단어를 배우기 전으로 돌아갈 수 있다면,
얼마나 좋을까요

흰머리

내버려둠이 인정함이 된 것인지
어느 순간 잊혀져감과 동시에
편해졌다

자화상 (나를 만든 건 8할이 고통)

유리잔에 비친 눈썹을 찌그러뜨린다
잠자코 응시하다
뜻 없이 웃어 보이다,

내게 누가 남았나
한 쪽 눈을 매만지다
콧볼을 세게 움켜쥐어 본다

재깍대는 소리에 편히 이룰 수 없던 수면
울음을 틀어막아 먹어버린 날들
최면 상태로 조종당하다 끝내 부러져 버렸다

그 어디든 갈 수 있고
그 무엇도 될 수 있었으리라

유리잔을 스스로 깼고
그 파편 고스란히 내가 맞았으니
오랜 방황 멈추어 '내가 되었다'

사랑해

짧고 굵게 치고 빠지라며
간결하나 깊고 넓으라며
함축으로 정곡 찌르라며
그러면서 쉽게 읽히라며
다수가 공감해야 한다며

그럼 이거밖에 없네

'사랑해'

당선작。

기억 그 믿음

2020년 독립문예지 〈시인보호구역〉vol.3 시부문 선정

뒤 도는 순간
난도질로 검붉고 끈적한 액체 튀길까
시선을 주는 순간
총부리 앞 검붉고 찐득한 지하에 갇힐까

조마거리며 전긍 했겠구나
네 스스로 내게 다시 발걸음 할까봐

뒤 돌지 않고 시선을 주지 않는 구나
상흔이 깊어 타개책은 물 건너간 모양이다

최면제를 복용한 듯 끌리던 우리 그 찰나
서로에게 언제라도 달려가던 그날 밤
이제는 지난 날 지난 밤 지나간 긴한 달

서로에게로의 그 날갯짓은 아름다웠다

내가 그립지 않아도 괜찮다
너 아닌 또 다른 너의 떠오름에
암시롱 않은 나도 괜찮다

떠남과 머무름 그 한 끗 차
머무를 기억 그 믿음이 있기에
나는 괜찮다

백태

2020년 종합예술잡지 <한국문학예술> 신인상 시부문 당선

얼마 전부터 입안 구취와 이물감이 질다
혓바닥의 희고 누르스름한 느낌이 질다
혀 클리너도 소용없다 속이 문드러진 겐가

황급히 전 녀석을 떠올린다, 만성백태였다
견딜 수 없어 키스는 끝까지 용납 못 했다
백태도 전염되나 그의 영혼이 방문한 겐가

이별을 고한 쪽은 나인데 일상의 마디마다,
녀석의 향이 났다
양치할 때마다 또, 닭똥내가 올라올 때마다,
녀석의 향이 났다

지긋이 녀석과의 시간을 촘촘히 되짚었다
당장 손잡은 양 미소 짓다 울음이 터졌다
녀석의 백태를 가진 내 입이라면
이제 키스도 문제될 것 같지 않았다

어쩌면 문드러진 속 때문이 아니라
그리워진 우리 때문일 수도 있겠다

예술병

환자분의 병명은
신종질환인 '예술병' 5기입니다 증상으로는,

교포 발음
자기애 과다
난해한 언어 사용
자신감과 자만감 혼동
자기애와 자존감 혼동
예술성과 충동성을 혼동
말이 너무 많거나 너무 적음
특히 말이 적을 시 치명적인 척함
지기 싫어하는데 실제 싸움은 못함
아집 충만한데 굉장히 깨어있는 척함
눈치 없어서 돌려 깎이는데 칭찬인 줄 앎
주변 의식 안하는 척 옆 뒤통수에도 달린 눈
결과는 그럴싸하나 과정은 황당한 사진 촬영
음악 특히 좋아함 각 잡고 듣는 모습이 징그럼
있어 보이는 척 같지만 진짜 있단 종교적 믿음

그러니 백신이 개발될 때까지
눈 감고 귀 닫고 입 막고 다녀주시길 간청드립니다

컴퍼스와 각도기

컴퍼스 들고 다닌 그때 알았다면
포용력이 달랐을까
1밀리미터에 따라 전혀 다른 원의 크기
신뢰 잃은 감정적 대응
분노 조절 이성적 대처

각도기 들고 다닌 그때 알았다면
깨달음이 빨랐을까
뻗은 선의 각도 따라 전혀 다른 방향과 위치
각도의 다양성과 각도끼리의 차이
어디 꽂는가 시작점 끝은 책임 유무

'생각'의 원 크기 각도 따라 다른 결과
'마음가짐'에 의해 오가는 천당과 지옥
후회보단 아쉬움에 끼적인다만
9회말 2아웃 그 상황에서 각도가 달랐다면
이끌린 직업을 가졌을까
떠난 그대들이 머물렀을까

문득 너를 떠올려봤어

2020년 (사)한무리창조문인협회 제 2회 문학공모전 수필부문 은상 수상

현생에 없는 네게 쓰는 마지막 편지야.

너는 기억도 없는 곳에 흩뿌려진 채로 있겠지만, 기억해? 풋풋한 우리의 스무 살, 모두가 자는 새벽에 컴퓨터 화면을 보며 맥주 짠 을 외치던 우리. 항상 배경음은 '김국환의 타타타'였지. 가사 하나 하나 뜯어 음미하며 김국환 아저씨의 그 허무한 웃음에 같이 울음을 자주 터트렸던 우리였잖아. 그 시절, 이런 사람이 또 있을까 싶을 정도로 너는 마치 나였고 우린 깊게 교감했었지.

그로부터 5년 뒤, 너는 사고로 전신 화상을 심하게 입고 3주간 입원해있다 아주 고통스럽게 갔다고 들었어. 그렇게 될 때까지 아무런 연락도 받지 못한 나였기에 네 오랜 한 친구의 전화로 장례식에 가게 되었지. 실감이 전혀 안 되고 정신머리 없는 가운데, 고인을 보내는 '염'을 행하는 장소로 이끌리듯 들어간 그때의 나는 장례도 처음인 고작 25살이었어. 육신 전체가 화상으로 심하게 훼손되어 두 눈만 있던 너는, 나를 산 사람이라고는 볼 수 없을 정도로 철퍼덕 널브러져 발광케 했고 온 구멍에서 미친 듯 짠물이 폭포처럼 터져 나오는 '오열'이라는 단어를 생전 처음 경험케 해주었지.

약 6개월 간 나는 너의 마지막 형상의 트라우마로, 여름 낮 지하철 군중 속에서도 소름 돋는 차가움에 살얼음판인 듯 덜덜 떨었고 불면으로 새벽마다 소리를 지르며 발광하기도 했어, 미안해. 살짝 데인 손가락을 볼 때마다, 타닥타닥 타들어가는 난로 속 불을 볼 때마다 나는 너의 형상이 떠올라 내 머리카락 뭉텅이를 쥐 뜯으며 괴로워했어, 미안해. 이런 말도 안 되는 고통을 선사해 준 너를 진심으로 탓하기도 했어, 미안해. 여유 하나 없이 치열하게 사는 와중에 가끔씩 먼저 간 네가 부럽기도 했어, 미안해.

그렇게 공포와 사죄가 뒤섞인 감정을 거치고 나니 그리움이 나라는 덩어리를 한 번에 집어 삼킬 듯 밀려들더라. 제발 꿈에 나오지 말아 달라 빌던 내가, 제발 꿈속에 단 한 번만이라도 나와 달라 빌고 있더라. 허, 그 태세변환이란. 사람 참 더럽게 간사하고 소름끼치게 역겹지 않니.

넌 결코 나와 주지 않았어, 나를 위한 거였는지, 자신의 내려앉은 얼굴 때문이었는지. 그러다 몇 년 뒤 꿈에, 반 지하에서 바라보던 창으로 지나가는 다리 한 쌍을 보았어. 묘한 느낌의 감지로 곧바로 창문에 달라붙어 눈을 한껏 치켜 세웠더니 그리 바라던 너였어. 비록 고작 1초 옆모습뿐이었지만, 너는 분명 미소 짓고 있었어. 근데 참 이상한 게, 가는 너를 보며 나는 놀라지도 부르지도 잡지도 않았다는 거야. 또한 너의 뒷모습이 초라하거나 서글프지도 않았어. 덩달아 미소 짓고 있는 나 자신을 확인할 뿐이었지.

꿈을 깨고 나서도, 아주 많은 시간이 지난 지금까지도 꿈속의 찰나 너의 옆태와 미소가 참 생생해. 그 꿈 이후로는 네가 떠오르는 그 어떤 상황에서도 너를 굳이 부르려하지 않았어. 왜냐하면, 그 찰나 미소를 머금은 1초 너의 옆모습이 말이야, 암묵적 침묵으로 어떤 '문장'을 내포한 채 마치 포장지처럼, 미소 속에 감싸 머금은 후 내게 툭 던져 전설이 된 나무의 뿌리마냥 내 심연에 심어놓고 사라졌기 때문이야.

'나는 내가 늘 갈망해왔던 고독이 없는 이곳에 완벽히 평온한 상태로 공기처럼 흩어져있어. 이제 더는 존재하지도 않는 내 생각을 멈추고, 그 곳에서 존재하는 사람들과 현실을 살아. 이제 더 이상 '김국환의 타타타'도 나를 공허케 만

들지 않아, 그래서 나는 행복해. 그러니 너도 어떤 식으로든 행복하길 바라.'

너는 말이 없었지만 내 뇌리에는 이상하리만치 정확하고 민감하게 이 문장들이 박혀서, 영원히 기억될 것만 같은 느낌이 아주 강렬하게 들어.

마지막으로 네게 답가를 보낼게.

'그래 나, 잘 살아갈게. 무엇보다 깨어있는 상태로. 너의 그, 고통스럽게 살아있던 마지막 3주를 지켜주지 못한 고된 자책을 지독히 겪고, 사람에게 무심했던 나는 순간순간 표현할 줄 아는 인간형으로 거듭났어. 그 누가 사람은 영원토록 변하지 않는다 했나 싶다. 감사해, 내게 180도 변할 수 있는 기회를 선물해주고 떠났음에. 너처럼 나도, 나를 아는 소중한 사람들에게 나를 깊이 뇌리에 남길게. 이 마지막 편지를 띄우면서도 울었지만, 이제 더는 너를 떠올리며 울지 않을게. 너의 마지막 꿈속 미소처럼, 웃으려 해. 사랑해.'

모든 것은 아름다워

아주 어릴 적 꿈에 자주 등장한 그 친구는 눈이 세 개였어. 등 뒤에 큰 눈이 하나 더 있었는데, 손쉽게 뒤에 있는 걸 볼 수 있다며 자랑했었지. 그리고 입 모양이 우리와 반대여서 내가 웃으면 울고 울면 웃더라고, 그 친군. 그런데 나는, 뭔가 이상함을 감지했다거나 나와 반대로 반응하고 있다고는 결코 생각지 못했어. 우리 사이의 '공기'가 전혀 차갑지 않았었거든. 꿈속의 삶과 파생되는 감정들을 불편 없이 공유하고 있다는 게 '그냥 느껴졌다'라고 해야 하나. 그 친구는 '단 하나, 본인 그 자체'였기 때문에 그냥 '그렇구나' 했을 뿐이야. 참 그리고, 뭔가를 감지할 정도로 나는 현실적으로 더 자라 있는 꼬맹이가 아니었어. 덧붙여, 내가 갖지 못한 그 점들을 되게 부러워했었지.

그런데 꿈에서 깨어 보니, 애들이 어떤 아이 얼굴의 큰 점 하나를 보고도 뭐라 하며 비웃더라고. 대다수의 애들이 어떠한 틀에서 마리오네트처럼, 각 잡힌 움직임을 따라 자로 잰 듯한 동작을 보이며 비슷한 표정으로 동일한 문장을 외워, 입을 꾹 다문 채로. 마치 그렇게 안 하면 괴물처럼 등 뒤에, 징그러운 눈이 하나 더 생긴다고 누가 협박이라도 한 것처럼, 허허. 그리고는 자신들의 과반수 무리와 비교하여 다름없으면 인정하고, 구별되는 즉시 못 들어오게끔 자물쇠를 걸어 잠그지. 여기서 무서운 건, 그 자물쇠는 실재하지 않는다는 거야. 아주 감각으로 죽여 놓지. 그렇게 우리 모두는 아주 미묘한 감각으로 서로를 죽이다가 죽다가 죽이다 죽다 어른이 되는 거야. 소름 돋게도 더 많은 빈도로 죽였던 가해자보다, 더 많은 빈도로 죽임 당했던 피해자가 더 큰 편견과 선입견을 갖기도 해. 어쩌면 본능일지도, 비겁한 건지도.

'편견 없는 세상을 만들자' 떠들어 제치며 플래카드를 아무리 내걸어도 우리는 내면 깊숙이 어떻게든 '다름'을 찾아 피해자를 만들려 해. 그 '아름다운 것'을 한날 시기와 질투로 기어코 도려내야 비로소 다수의 승자로 군림할 수 있다고 믿나 봐.

우리, 무엇보다 '나', 그리고 나 이외의 모든 것들을 아름답게 바라보자. 내 꿈속 세 개의 눈을 가진 그리운 그 친구는, 두 개의 눈을 가진 나를 아름답게 바라보아 스며들어 주었어. 이 아름다운 우주 안에 아름답지 않은 게 단 하나라도 있다고 너는 생각해?